Contents

Writers

Christiane Hermann is Senior Lecturer in the Business School at Buckinghamshire College, a college of Brunel University

Corinna Schicker is a freelance educational author

Mirjam Hauck is Lecturer in Modern Languages at The Open University

Evelyn Reisinger is Tutor and Research Assistant at City University

Language and German Studies Consultant

Ragnhild Gladwell, Goethe Institut, London

GOETHE
INSTITUT

Open University

Book Co-ordinator, Duncan Sidwell

Academic Editor, Monica Shelley

Programme Chair, Lore Arthur

Acknowledgements

The course team would like to thank Eva Kolinsky, Professor of Modern German Studies, Keele University for her support in the development of the course. Our thanks also to Margaret Winck of Tübingen and Christoph Sorger of Leipzig for help and support in the preparation of the audio-visual material and for all the information and contacts which they provided. Thanks, too, to all the people of Tübingen and Leipzig who took part in the filming and recording in this course.

A catalogue record for this title is available from the British Library

ISBN 0 340 67333 8

First published 1996

Impression number   10 9 8 7 6 5 4 3 2 1

Year   2000 1999 1998 1997 1996

Typeset and designed by David La Grange.

Printed in Great Britain for Hodder & Stoughton Educational, a division of Hodder Headline Plc, 338 Euston Road, London NW1 3BH and for The Open University by Hobbs The Printers, Totton, Hampshire.

Some of the material transcribed here contains examples of non-standard German, because people are speaking freely and unrehearsed. Occasionally, alternatives and corrected versions have been provided.

In the dialogues in the audio transcripts, italics have been used to indicate prompts, bold indicates correct replies and arrows indicate where you should speak in the dialogues.

In the video transcripts, italics indicate commentary.

Auftakt, *ein Deutschkurs von der Open University*

Kassette Nummer 1, Seite 1

Hörspiel

Und jetzt das Hörspiel, „Begegnung in Leipzig".

Folge 1

(Ort: Eine Straße in Leipzig)

Sonja Hallo, Bettina! Wie geht's?

Bettina Ach, hallo, Sonja! Ganz gut so. Ach, Entschuldigung, bin ich spät dran?

Sonja Aber nein. Es ist erst vier Uhr.

Bettina Wie war die Arbeit?

Sonja Ach, ganz gut. Ich habe heute nicht viel gemacht.

Bettina Bei mir ging es auch. Heute morgen war die Klasse ziemlich friedlich. Gott sei Dank ist es Wochenende!

Sonja Wollen wir morgen vielleicht ins Kino gehen, oder ins Theater?

Bettina Ach du, tut mir leid, aber ich glaube, ich möchte mich zu Hause ausruhen, mit einem Gläschen Wein.

Sonja Ah, ein gemütliches Wochenende also? Auch keine schlechte Idee. Wir können ja später noch mal drüber sprechen.

Bettina Ja, okay.

Sonja Komm, wir haben schließlich viel zu tun, sonst gibt es dieses Wochenende nichts zu essen.

Bettina Ach, ich bin todmüde. Laß uns doch erstmal Kaffee trinken, was meinst du?

Sonja Du, schade, ich habe gerade Tee getrunken. Vielleicht später. Komm, ich zeige dir hier in der Nähe die Geschäfte.

Bettina Okay.

(später, in einem anderen Stadtteil)

Sonja Also, haben wir alles?

Bettina Ich glaube schon. Ach, ich bin total kaputt!

Sonja Komm, hier in der Nähe ist das alte Rathaus. Hast du es schon gesehen?

Bettina Nein, noch nicht. Aber ich brauche jetzt wirklich 'ne Tasse Kaffee. Komm, ich lad' dich ein.

Sonja Na gut, wenn du willst. Aber nicht hier in dieser Gegend. Gegenüber vom Rathaus kenne ich ein schönes Café. Es ist nicht weit. Ich zeige es dir.

Bettina Warte, warte – dort drüben. Ist das nicht die Grimmaische Straße?

Sonja Ja, aber die ist nicht sehr interessant.

Bettina Hm, man hat mir aber gesagt, daß die Grimmaische Straße doch sehr interessant ist.

Sonja Nein, da gibt es nicht viel zu sehen. Nur kleine Geschäfte und dann einige Straßenmusikanten.

Bettina Straßenmusikanten! Die finde ich toll! Komm, wir schauen mal.

Sonja Nein, Bettina, ich habe wirklich keine Lust, da gibt es zu viele Leute.

Bettina Ach komm. Wir finden auch hier ein gemütliches Café. Man hat mir gesagt, daß das Café Corso ganz gut ist. Ach, das Rathaus können wir auch ein anderes Mal sehen!

Sonja Bettina! Warte!

(in der Grimmaischen Straße)

Bettina Der spielt gut, nicht wahr? Und er singt auch gut!

Sonja Komm, laß uns weitergehen!

Bettina Nein, warte. Die Musik gefällt mir gut, und, … ich weiß nicht aber, … ich glaube, ich kenne diesen Straßenmusikanten.

Sonja Du kennst ihn? Och, das ist unmöglich! Nun komm doch.

Bettina Warte mal. Ich bin mir ganz sicher, daß ich ihn kenne – aber woher?

Sonja Bettina, bitte, ich habe keine Lust mehr.

Bettina Was ist denn los mit dir?

Sonja Gar nichts, warum? Ich will nur endlich weg, bitte laß uns mal weitergehen. Ich habe noch etwas anderes vor.

Bettina Nein, ich will bleiben. Warum hast du es denn so eilig?

Sonja Ich … ich muß noch etwas erledigen.

Bettina Okay, dann bleibe ich alleine hier.

Sonja Findest du den Weg zur Wohnung?

Bettina Ach, Sonja, mach dir keine Sorgen, ich bin schon seit drei Wochen in Leipzig! Es ist die Straßenbahn Nummer 28, ne?

Sonja Okay, na dann tschüs!

(Tübingenlied)

Bettina Das Tübingenlied! Jetzt habe ich es! Jetzt weiß ich's wieder! Ich kenne ihn aus Tübingen. Er war doch Student auf der Universität!

Bettina Hallo!

Thomas Ja?

Bettina Sag mal, erinnerst du dich an mich?

Thomas Ähm, Entschuldigung bitte?

Bettina Wir waren doch im selben Jahrgang – auf der Universität in Tübingen. Moment, du heißt … Thomas! Thomas Porzick.

Thomas Ja! Jetzt erkenne ich dich – du bist … Ah, warte, sag nichts!

Bettina Bettina – ich bin Bettina.

Thomas Bettina Schlüter!

Bettina Genau!

Thomas Was für ein Zufall!

Bettina Ja, das ist witzig, daß wir uns hier in Leipzig treffen!

Thomas Find' ich auch! Hör mal, ich hab' keine Lust mehr zu spielen, und ich brauch' sowieso 'ne Pause. Wie wär's mit einer Tasse Kaffee? Hast du etwas Zeit?

Bettina Aber gerne!

Thomas Gut. Sag mal, was treibt dich denn nach Leipzig?

Bettina Ach, ich bin hier schon seit ein paar Wochen, und …

Sprechübungen

And now it's your turn. Here are a few exercises to help you with some of the expressions you have just heard. Listen carefully to the pronunciation and intonation of everything you hear. This is your chance to practise speaking aloud!

You'll remember that in this episode of the drama Thomas asked Bettina if she had time for a coffee. In this exercise you're going to practise saying you have or haven't got time to do something. First of all, listen to how you say: 'I haven't got time to go to Leipzig'. Repeat the German phrase in the pause:

Ich habe keine Zeit, nach Leipzig zu fahren.

Now practise using this phrase with the names of different towns. You'll hear the name of a town, followed by a pause. Speak in the pause, then wait to hear the correct answer.

München

Ich habe keine Zeit, nach München zu fahren.

Berlin

Ich habe keine Zeit, nach Berlin zu fahren.

Tübingen

Ich habe keine Zeit, nach Tübingen zu fahren.

Now listen to how you say, 'Of course I have time to visit Munich'. Repeat the German phrase in the pause:

Natürlich habe ich Zeit, München zu besuchen.

Now repeat this phrase in each pause, using the name of the town you will hear.

Stuttgart

Natürlich habe ich Zeit, Stuttgart zu besuchen.

Hannover

Natürlich habe ich Zeit, Hannover zu besuchen.

Leipzig

Natürlich habe ich Zeit, Leipzig zu besuchen.

Now practise both phrases. Listen to the questions and answer them in the pauses using the cues given. The cue will either be 'ja' if you have got time, or 'nein' if you haven't. You will hear the correct answer immediately afterwards.

Haben Sie Zeit, nach Wien zu fahren?
Nein.

Nein, ich habe keine Zeit, nach Wien zu fahren.

Haben Sie Zeit, Hamburg zu besuchen?
Ja.

Ja, natürlich habe ich Zeit, Hamburg zu besuchen.

Haben Sie Zeit, Zürich zu besuchen?
Nein.

Nein, ich habe keine Zeit, Zürich zu besuchen.

Haben Sie Zeit, nach Rostock zu fahren?
Ja.

Ja, natürlich habe ich Zeit, nach Rostock zu fahren.

Hörbericht 1

Und jetzt Hörbericht Nummer 1: „Kein Platz für Autos".

In Tübingen gibt es zu viele Autos, so wie in vielen anderen Städten Deutschlands auch. Nur sind die Verkehrsprobleme in Tübingen besonders schlimm. Warum?

Herr Hartmann 60 bis 70% aller Leute, die in Tübingen erwerbstätig sind, sind nicht in der Lage, die Mietpreise oder Grundstückspreise in Tübingen zu bezahlen. Die pendeln von außerhalb ein, also man wohnt außerhalb, arbeitet in Tübingen.

Also 60 bis 70% der Leute, die in Tübingen arbeiten, pendeln. Pendeln heißt: Man wohnt nicht in der Stadt selbst, sondern außerhalb, und man muß jeden Tag zur Arbeit fahren.

Frau Steffen Es gibt sehr viele, die zum Arbeiten hierherkommen, die hier studieren. Jeden Tag ist Tübingen praktisch eine Großstadt durch die Einpendler, die mit dem Auto hierherfahren.

Jeden Tag ist Tübingen durch die vielen Pendler also fast wie eine Großstadt. Das heißt, viele Leute pendeln von außerhalb in die Stadt, um hier zu studieren oder zu arbeiten.

Frau Steffen ... und wir wissen, daß im Durchschnitt ein Auto mit 1,1 Personen besetzt ist, also daß in jedem Auto nur ein bißchen mehr als eine Person sitzt, statistisch gesehen.

Es gibt zu viele Autos in Tübingen. Zu viele Autos, das bedeutet: Stau, Lärm, und Verschmutzung. Aber es gibt noch ein Problem:

Frau Steffen Alle diese Autos brauchen natürlich ungeheuer viel Platz zum Parken, sie stehen hier den ganzen Tag in der Stadt, nehmen Platz weg, den man für andere Zwecke brauchen könnte.

Wo zu viele Autos sind, können Kinder nicht spielen. Wo zu viel Lärm, Schmutz und geparkte Autos sind, treffen sich die Leute nicht gern.

Aber in Tübingen gibt es seit Anfang der 80er Jahre eine neue Art Siedlung. Diese Siedlung heißt Schafbrühl. In Schafbrühl müssen die Autos am Rande der Siedlung bleiben. In der Mitte, zwischen den Häusern, gibt es schöne, grüne Plätze oder Innenhöfe.

Hier können die Kinder draußen spielen und die Nachbarn sich treffen. Frau Patzwahl wohnt seit zehn Jahren mit ihrem Mann und ihren vier Kindern in Schafbrühl. Jetzt steht sie auf ihrem Balkon. Es ist Abend und alles ist ruhig.

Frau Patzwahl Also, wo wir jetzt stehen ist auf unserem Balkon vom Kinderzimmer aus, und da kann man wunderbar in einen Innenhof von Schafbrühl gucken, und das ist der, wo der Teich ist und vom Teich aus fließt der Bach durch den Innenhof. Dort sind auch sehr viele Bäume, die Häuser sind begrünt, das heißt, da ranken sich Pflanzen an den Balkonen hoch.

Schafbrühl ist kinderfreundlich: Es gibt sogar einen kleinen Bach und daneben einen Sandkasten. Dort können die Kinder mit Wasser spielen. Die kleine Tochter von Frau Patzwahl heißt Katrin. Sie erzählt, was sie am liebsten macht.

Katrin … beim Bächle spielen. Da ist so 'ne kleine Insel, und da, da spielen wir Pferd drauf.

Gibt es ein starkes Gemeinschafts-gefühl in Schafbrühl? Gemeinschafts-gefühl? Das heißt, man hat viele Freunde und gute soziale Kontakte. Frau Patzwahl:

Frau Patzwahl Es ist so, daß man sich immer trifft, und immer wenn man sein Haus verläßt, betritt man also so einen Innenhof, und dadurch trifft man immer Nachbarn, Freunde, die Kinder begegnen sich immer, weil hier keine Autos fahren innerhalb dieser Höfe.

Also es ist wirklich ganz toll, hier zu wohnen, gerade weil man immer Kontakte hat, die Kinder einfach aus dem Haus gehen können, ohne daß man Angst haben muß, daß sie auf die Straße kommen oder zu weit weg gehen. Schafbrühl heißt ums Haus 'rum und im Hof bleiben und das ist wirklich ganz prima.

Sprechübungen

And now it's your turn: here are a few exercises to practise words and structures from the feature you've just heard. In the first exercise you'll practise pronunciation using numbers. Listen and repeat:

60 bis 70% aller Leute

➔

70 bis 80% aller Leute

➔

75 bis 85% aller Leute

➔

85 bis 95% aller Leute

➔

95 bis 100% aller Leute

➔

Now listen to the cues and complete the pattern. First an example:

95%?

Nein, bestimmt nicht, nur 85%!

Now over to you.

95%?

➔

Nein, bestimmt nicht, nur 85%!

85%?

➔

Nein, bestimmt nicht, nur 75%!

Was, 75%?

➔

Nein, bestimmt nicht, nur 65%!

Was, wirklich nur 65%?

➔

Nein, bestimmt nicht, nur 55%!

Das stimmt nicht! 100% aller Deutsch-Lerner können diese Übungen wiederholen!

Here's another construction. Listen to the example, then make up similar sentences by picking up the cues:

Stehen die meisten Autos am Parkplatz?
80%

Ja. 80% der Autos stehen am Parkplatz.

Now have a go yourself:

Sind die meisten Leute Pendler?
70%

➔

Ja. 70% der Leute sind Pendler.

Haben die meisten Leute Wohnungen?
65%

➔

Ja. 65% der Leute haben Wohnungen.

Haben die meisten Häuser Innenhöfe?

50%

→

Ja. 50% der Häuser haben Innenhöfe.

Haben die meisten Einwohner Parkplätze?

90%

→

Ja. 90% der Einwohner haben Parkplätze.

You'll have heard that many people can't afford to rent accommodation in Tübingen: „Viele Leute sind nicht in der Lage, die Mietpreise zu bezahlen".
Here's an exercise to practise saying you're unfortunately not able, or not in a position to do something. Listen to the following example:

eine Wohnung mieten

Leider bin ich nicht in der Lage, eine Wohnung zu mieten.

Now it's your turn:

eine Wohnung mieten

→

Leider bin ich nicht in der Lage, eine Wohnung zu mieten.

ein Grundstück kaufen

→

Leider bin ich nicht in der Lage, ein Grundstück zu kaufen.

ein neues Auto kaufen

→

Leider bin ich nicht in der Lage, ein neues Auto zu kaufen.

Urlaub in Australien machen

→

Leider bin ich nicht in der Lage, Urlaub in Australien zu machen.

jeden Abend ausgehen

→

Leider bin ich nicht in der Lage, jeden Abend auszugehen.

mitkommen

→

Leider bin ich nicht in der Lage, mitzukommen.

Frau Patzwahl said that it's really great living in Schafbrühl: „… es ist wirklich toll, hier zu wohnen …".
Listen to the example, then make up similar sentences by picking up the cues. Listen to the stress and the rhythm of the language:

Tübingen ist eine interessante Stadt, nicht wahr?

wohnen

Stimmt, es ist wirklich toll hier zu wohnen!

Now have a go yourself:

Tübingen ist eine interessante Stadt, nicht wahr?

wohnen

→

Stimmt, es ist wirklich toll, hier zu wohnen!

Die Universität ist sehr alt, nicht wahr?

studieren

→

Stimmt, es ist wirklich toll, hier zu studieren!

Die Siedlung hat schöne Innenhöfe, nicht wahr?

sitzen

→

Stimmt, es ist wirklich toll, hier zu sitzen!

Es gibt hier wenig Autos, nicht wahr?

sich treffen

→

Stimmt, es ist wirklich toll, sich hier zu treffen!

Ende von Seite 1

Auftakt, *ein Deutschkurs von der Open University*

Hörspiel und Hörberichte
Kassette Nummer 1, Seite 2

Hörspiel
....

Und jetzt das Hörspiel: „Begegnung in Leipzig".

Folge 2

(im Café Corso)

Bettina Oh, es ist sehr voll hier, ne?

Thomas Ja, hier gibt es immer zu viele Leute.

Bettina Du, da drüben am Fenster ist ein Tisch frei.

Thomas Okay. Prima.

Bettina Ah, sehr gemütlich hier.

Thomas Oh, ja, ich komme oft hierher. Du kennst Leipzig noch nicht so gut, oder?

Bettina Nein, noch nicht, ich hab' noch nicht viel von der Stadt gesehen.

Thomas Es ist halt eine aufregende Stadt.

Bettina Ja, aber ich bin erst seit drei Wochen hier. Ich habe mich noch nicht so ganz eingewöhnt.

Kellnerin Guten Tag. Was möchten Sie?

Thomas Einen Kaffee.

Bettina Ja, ich auch.

Kellnerin Also zwei Tassen Kaffee, das wäre alles?

Thomas Ja, danke.

Bettina/Thomas Wieso kommst du …?/Was machst du …

Thomas Entschuldigung. Du zuerst.

Bettina Seit wann wohnst du in Leipzig?

Thomas Ich? Seit vier oder fünf Jahren, es gefällt mir gut hier. Und du, du bist jetzt Lehrerin, stimmt das?

Bettina Ja, genau. Ich hab' eine Stelle an einer Hauptschule in Grünau.

Thomas Grünau? Und wie kommst du zurecht?

Bettina Ach, das kann ich noch nicht sagen. Die Schüler sind so undiszipliniert, aber das ist ja überall so. Im Moment geht's …

Kellnerin Zwei Kaffee, bitte schön.

Thomas/Bettina Danke.

Thomas Danke schön. Wohnst du auch in Grünau?

Bettina Nein, ich wohne bei einer Freundin in Connewitz. Ich meine, ich miete ein Zimmer bei ihr, bis ich eine Wohnung gefunden hab'.

Thomas Hm, es ist sicherlich schwer, eine Wohnung zu finden.

Bettina Ja, ich suche eine etwas größere, äh, vielleicht mit einem Gästezimmer oder einem großen Wohnzimmer. Aber das ist so teuer.

Thomas Moment, in Connewitz hast du gesagt?

Bettina Ja. Wieso?

Thomas Ich kenne jemanden dort. Ähm, wie heißt sie noch? Äh …

Orhan He, hallo Thomas, wie geht's?

Thomas Hallo, Orhan! Gut, und dir?

Orhan Ja, auch gut. *(zu Bettina)* Tag!

Thomas Oh, Entschuldigung. Orhan, darf ich dir Bettina vorstellen? Wir waren zusammen auf der Uni in Tübingen.

Orhan Also, du kommst aus Tübingen! Schön.

Bettina Ja, ich war auf der Uni in Tübingen, aber die Stadt ist mir zu kleinbürgerlich. Ich wohne lieber in einer Großstadt.

Thomas Bettina arbeitet als Lehrerin an einer Hauptschule in Grünau. He Orhan, setz dich doch und trink einen Kaffee mit uns.

Orhan Tut mir leid. Ich muß noch etwas erledigen.

Thomas Okay, dann tschüs.

Orhan Ah, bevor ich es vergesse – bei mir gibt es bald eine Party. Du bekommst bald eine Einladung mit dem genauen Datum. Du kannst auch deinen Sohn mitbringen.

Thomas Okay, danke. Das wäre toll!

Orhan Tschüs. Mach's gut!

Bettina Er scheint nett zu sein. Du, wo kommt er denn her?

Thomas Oh, er kommt aus der Türkei. Ein wirklich guter Freund.

Bettina Äh, du hast einen Sohn?

Thomas Ja. Er heißt Kai.

Bettina Kai. Hm, das ist ein schöner Name. Wie alt ist er denn?

Thomas Fast sieben Jahre alt.

Bettina Du, ich wußte nicht einmal, daß du verheiratet bist!

Thomas Bin ich auch nicht mehr. Ich bin geschieden. Kai wohnt jetzt mit meiner Ex-Frau in Tübingen.

Bettina Siehst du deinen Sohn oft?

Thomas Hm, ab und zu. Ich vermisse ihn schon sehr.

Bettina Und du? Arbeitest du, oder bist du noch Student?

Thomas Ich studiere noch. Und ich mache Straßenmusik, um Geld zu verdienen.

Bettina Und wo studierst du?

Thomas An der Hochschule für Musik und Theater.

Bettina Schön.

Thomas Ja, aber ich bin lieber Musiker. Du wirst schon sehen, eines Tages werde ich in der Moritzbastei oder in irgendeinem anderen großen Club auftreten und nicht mehr auf der Straße!

Bettina Was ist denn das – ähm, die Moritzbastei?

Thomas Ah, das ist ein Café mit einem Bierkeller und Veranstaltungsräumen. Hier in der Nähe. Du, entschuldige, ich muß zurück und Geld verdienen, für Kai … Er hat bald Geburtstag. Zahlen, bitte!

Kellnerin Ähm, zwei Kaffee – sechs Mark bitte.

Bettina Oh, laß schon. Ich zahle.

Thomas Nein, nein, wir teilen uns das.

(auf der Straße)

Bettina Okay. Das war wirklich nett.

Thomas Finde ich auch. Schön dich wiedergetroffen zu haben. Tschüs!

Bettina Tschüs!

Thomas Ah, Bettina, warte! Morgen spielt der Mikey Nowak in der Moritzbastei. Willst du mitkommen?

Bettina Äh, morgen abend?

Thomas Ja.

Bettina Ähm … okay, warum nicht? Ähm also, bis morgen! Äh, treffen wir uns hier vor dem Café um acht?

Thomas Ja. Prima! Tschüs!

Bettina Tschüs!

(zu Hause)

Bettina Sonja! Hallo! Bist du da? Sonja! Wo bist du denn? Sonja? Ah, Sonja! Was ist denn mit dir los?

Sonja Nichts.

Bettina Sonja komm, sag doch mal! Hör mal, ich muß dir doch was erzählen, von diesem Straßenmusikanten.

Sonja Nein, Bettina, es interessiert mich nicht! Laß mich in Ruhe!

Sprechübungen

And now it's your turn. In this episode Thomas asked Bettina if she wanted to come to the Moritzbastei with him. He said, „Willst du mitkommen?". These exercises will help you practise saying 'I want to', 'I'd like to', and 'I must'. First you will be asked if you really want to do something. You are quite sure that you do. Listen to the example question and answer and repeat the answer in the pause.

Wollen Sie wirklich ins Kino gehen?

Ja, sicher will ich ins Kino gehen!

➜

Now have a go yourself. Answer each question in the pause, by saying you are sure that you want to do the thing suggested. You will hear the correct answer immediately afterwards.

Wollen Sie wirklich ins Konzert gehen?

➜

Ja, sicher will ich ins Konzert gehen!

Wollen Sie wirklich Deutsch sprechen?

➜

Ja, sicher will ich Deutsch sprechen!

Wollen Sie wirklich zu Hause bleiben?

➜

Ja, sicher will ich zu Hause bleiben!

Now practise saying where you would like to go using the phrase 'ich möchte …'. First listen, then repeat.

Also, ich möchte mit Ihnen ins Café Corso gehen.

➜

Now practise the same phrase with the cues given. Speak in the pause. The correct sentence will follow immediately afterwards.

ins Theater

➜

Also, ich möchte mit Ihnen ins Theater gehen.

in einen Bierkeller

➜

Also, ich möchte mit Ihnen in einen Bierkeller gehen.

ins Schwimmbad

➜

Also, ich möchte mit Ihnen ins Schwimmbad gehen.

Next you'll practise saying that you must do something but you really don't want to. First listen to the example and repeat it in the pause.

Ich muß heute meine Mutter anrufen, aber ich will das nicht!

➜

Now practise the same sentence using the cues you are given.

Einkaufen gehen

➜

Ich muß heute einkaufen gehen, aber ich will das nicht!

zur Bank gehen

➜

Ich muß heute zur Bank gehen, aber ich will das nicht!

ins Büro gehen

➜

Ich muß heute ins Büro gehen, aber ich will das nicht!

Hörbericht 2

Und jetzt Hörbericht Nummer 2: „Treffpunkte".

Ein Mädchen voller Güte

Da rief sie Heimat, süße Heimat,
Wann werden wir uns wiedersehen?
Heimat, süße Heimat,
Wann werden wir uns wiedersehen?

Heimat – was bedeutet das? Für viele ist Heimat der Ort, wo man geboren und aufgewachsen ist. Das heißt, man hat dort als Kind gewohnt. Man fühlt sich dort wohl, also man fühlt sich zu Hause. Einige Leute aus Tübingen und Leipzig sagen, was Heimat für sie bedeutet.

Frau Lotzmann Ich wohne in Leipzig, ich bin in Leipzig geboren. Ich liebe meine Stadt, weil ich einfach hier zu Hause bin.

Katrin Schmidt Meine Heimat ist Tübingen, weil dort bin ich aufgewachsen, dort fühle ich mich wohl, und, äh … ja, … Heimat bedeutet für mich speziell Tübingen, auch wenn ich irgendwann wegzieh', ist Tübingen für mich meine Heimat, weil meine Eltern hier wohnen, weil ich hier Freunde hab', weil ich hier arbeite, weil ich mich hier wohlfühl'.

Herr Mayerhofer Ich bin mit zwei Jahren nach Leipzig gekommen, und bin in Leipzig in die Schule gegangen, und hab' in Leipzig studiert, hab' in Leipzig meine Frau kennengelernt, in Leipzig geheiratet, und meine Kinder sind alle in Leipzig geboren. Ich hab' meine Schulfreunde hier, meine Studienfreunde, und auch sonst viele Freunde.

Heimat ist natürlich nicht immer der Ort, wo man geboren und aufgewachsen ist. Riccardo Delfino ist Straßenmusikant. Er spielt Harfe. Hier spielt er auf der Straße in Tübingen.

Herr Delfino Ich heiße Riccardo Delfino. Ich mach' Straßenmusik. Geboren bin ich in Krefeld in Deutschland. Mein Vater ist Italiener.

Wie viele Leute hat Riccardo nicht immer am selben Ort gewohnt, das heißt, er ist oft umgezogen. Er ist ständig unterwegs auf Reisen und macht Musik. Wo ist seine Heimat?

Herr Delfino Das weiß ich nicht – ich hab' viele Jahre in Schweden gewohnt, in Italien, in Deutschland, und bin ständig unterwegs auf Reisen mit der Musik. Ich weiß es eigentlich nicht mehr.

Für viele Leute bedeutet Heimat, Freunde und Bekannte um sich zu haben. Wenn man in eine andere Stadt oder in ein anderes Dorf zieht, will man neue Leute kennenlernen. Viele Dörfer und Städte in Deutschland haben verschiedene Vereine oder Klubs, zum Beispiel einen Sportverein oder einen Gesangverein. Die Vereine sind gute Treffpunkte, wo man Leute kennenlernen kann.

Heimat leb' wohl

Bis uns die Heimat grüßt auf's Neue,
Und bis im Sand der Anker ruht.
[…]

Jettenburg ist ein Dorf in der Nähe von Tübingen. Es gibt dort einen Musikverein und einen Männergesangverein.

[…]

Morgens früh bei kühlem Taue,
Wo das Gras am schönsten ist …
[…]

Der Verein ist ein Treffpunkt für die Leute, die in Jettenburg wohnen, und auch für die, die ziemlich neu im Dorf sind. Hasan Naber kommt aus Jordanien. Er wohnt seit fünf Jahren in Jettenburg, und singt seit drei Jahren im Männergesangverein. Deutschland ist sein zweites Heimatland geworden.

Herr Naber Ich habe sozusagen zwei Heimatländer, ja … Wo ich lebe, ja, und wo ich mich wohlfühle, da ist meine Heimat.Vom Wetter her, das ist ja ganz schlecht für mich, aber, aber von den Menschen, die sind wirklich nett, und das, das finde ich auch besonders bei diese zwei Vereine[1] – Musikverein und Gesangsverein.

Es gibt zwei Gasthäuser in Jettenburg. Die Mitglieder des Gesangvereins sind Stammgäste in beiden. Heute sind sie im Gasthaus Ochsen.

Das Gasthaus Ochsen hat einen Gastwirt, der aus Griechenland kommt: Herr Thassioulis. Er wohnt seit 30 Jahren in Deutschland und fühlt sich in Jettenburg zu Hause.

Herr Thassioulis Die Jettenburger sind uns… unsere Stammgäste, äh, uns gefällt sehr gut in Jettenburg[2]. Wir haben eine Existenz gebaut hier für unsere Kinder in Jettenburg.

Die Vereine sind oft wichtig für das kulturelle Leben und für das Gemeinschaftsgefühl in einem Dorf. Sie machen mit, wenn es ein Fest oder eine Feier im Dorf gibt. Professor Bausinger von der Universität Tübingen meint dazu:

Professor Bausinger Also, äh, man hat früher immer gesagt, äh, Dorfkultur ist Vereinskultur. Selbst wenn es nur einen Sportverein im Dorf gab, dann haben die die Weihnachtsfeier gemacht, sie haben ein Sommerfest gemacht und so weiter.

Der Männergesangverein spielt eine große Rolle im Dorfleben. Herr Winter, Mitglied im Verein, sagt dazu:

Herr Winter Wir machen viele Sachen zusammen. Es ist nicht nur, daß wir jeden Freitag unsere sogenannte Singstunde haben, sondern wir feiern auch andere Feste, wir helfen auch in der Gemeinde. Oder zum Beispiel an Weihnachten singen wir in der Kirche, oder auch an Ostern.

Herr Winter kommt ursprünglich aus der DDR. Er hat auch in Westfalen in Norddeutschland gewohnt und ist vor sechs Jahren nach Jettenburg gekommen. Hier fühlt er sich jetzt zu Hause.

Herr Winter Der Ort ist freundlich, äh, die Landschaft ist hübsch. Hier habe ich etwas, hier wohne ich, und hier will ich eigentlich auch gern bleiben.

Der Gesangverein hat ihm geholfen, Leute kennenzulernen und eine neue Heimat aufzubauen.

Herr Winter Ich glaube, das Wichtigste ist, daß man mit den Leuten ins Gespräch kommt und das ist hier zum Beispiel in diesem Dorf, äh, eine Möglichkeit durch den Gesangverein.

---

[1]*Herr Naber should have said:* „… das finde ich besonders auch bei diesen zwei Vereinen …"

[2]*Herr Thassioulis should have said:* „… uns gefällt es sehr gut in Jettenburg."

Sprechübungen

And now it's your turn again.

In this feature you've heard people talking about Heimat *and* sich wohlfühlen. *These activities will use some of the words and expressions you've come across in this context. First of all, some pronunciation practice: listen and repeat, concentrating on the vowel sounds.*

ooo ooo ooo

➔

Ich wohne.

➔

Ich bin geboren.

➔

Ich fühle mich wohl.

➔

o o o

➔

Ort

➔

Ich bin dort.

➔

Ich komme.

➔

Im selben Ort.

➔

üü üü üü

➔

Süße Heimat.

➔

Ich fühle mich wohl.

➔

Ich grüße Sie.

➔

Ich bin in Tübingen geboren.

➔

Dort fühle ich mich wohl.

➔

Ich bin in Tübingen geboren. Dort fühle ich mich wohl.

➔

This time, the statements you are asked to repeat will get increasingly long.

Tübingen ist meine Heimat.

➔

Tübingen ist meine Heimat. Ich bin hier geboren.

➔

Tübingen ist meine Heimat. Ich bin hier geboren und aufgewachsen.

➔

Tübingen ist meine Heimat. Ich bin hier geboren und aufgewachsen. Hier fühle ich mich wohl.

➔

London ist meine Heimat. Ich bin hier geboren und aufgewachsen. Hier fühle ich mich wohl.

➔

Now practise joining sentences together with the word weil – *'because'. Here's an example:*

Ich fühle mich wohl hier. Ich bin hier geboren.

Ich fühle mich wohl hier, weil ich hier geboren bin.

Now it's your turn.

Ich fühle mich wohl hier. Ich bin hier geboren.

➔

Ich fühle mich wohl hier, weil ich hier geboren bin.

Ich fühle mich wohl hier. Das ist meine Heimat.

➔

Ich fühle mich wohl hier, weil das meine Heimat ist.

Ich fühle mich wohl hier. Ich habe hier viele Freunde.

Ich fühle mich wohl hier, weil ich hier viele Freunde habe.

Joining the choir in Jettenburg helped Herr Winter to meet people: „Es hat ihm geholfen, Leute kennenzulernen". Make up similar sentences using the cues. Here's an example:

Leute kennenlernen

Es hat ihm geholfen, Leute kennenzulernen.

And now over to you.

Leute kennenlernen

Es hat ihm geholfen, Leute kennenzulernen.

sich wohlfühlen

Es hat ihm geholfen, sich wohlzufühlen.

eine neue Heimat aufbauen

Es hat ihm geholfen, eine neue Heimat aufzubauen.

mit Leuten ins Gespräch kommen

Es hat ihm geholfen, mit Leuten ins Gespräch zu kommen.

Do you remember the song 'Heimat, süße Heimat' at the start of the feature? Here are the words again. Repeat them and try to memorise them.

Da rief sie: Heimat, süße Heimat,

Wann werden wir uns wiedersehen?

Heimat, süße Heimat,

Wann werden wir uns wiedersehen?

Now join in!

Da rief sie: Heimat, süße Heimat,
Wann werden wir uns wiedersehen?
Heimat, süße Heimat,
Wann werden wir uns wiedersehen?

Ende von Seite 2

This is the first Activities Cassette for the Open University German course level one: Auftakt.

Thema 1 Zwei deutsche Städte

Hörabschnitt 1

A tourist guide talks about some of the buildings of Leipzig.

Die Nikolaikirche ist die größte und älteste Kirche der Stadt. Sie wurde im 12. Jahrhundert gebaut. Diese Kirche hat eine bedeutende Rolle in der Revolution von 1989 gespielt. Im Herbst 1989 war diese Kirche der Ausgangspunkt der großen Montagsdemonstrationen.

Das Neue Gewandhaus, vor dem wir stehen, wurde 1981 eröffnet. Das Gewandhaus-Orchester war schon im 19. Jahrhundert sehr berühmt.

Wir befinden uns jetzt in der Thomaskirche, die hauptsächlich mit den Namen von Martin Luther und Johann Sebastian Bach verbunden ist. 1539 war Martin Luther hier in dieser Kirche. Damit kam die Reformation nach Sachsen. Bach hat hier gelebt und ist hier gestorben. Er war 27 Jahre Leiter des Thomanerchors. Das ist ein Knabenchor, der aus dem 13. Jahrhundert stammt. Der Chor ist sehr berühmt, und die Jungen machen Konzertreisen in alle Welt.

Unsere Stadtführung endet am Alten Rathaus, das 1556 am Marktplatz errichtet wurde. Es war immer einer der wichtigsten Konzertsäle in Leipzig. Wir gehen jetzt hinein …

Hörabschnitt 2

Answer the questions in the following dialogue by giving statistics about Germany. You will hear a question followed by a pause in which you should answer. The pause is followed by a model answer.

Wie viele Einwohner hat Deutschland?

➔

80 Millionen.

Und wie viele Länder?

➔

16.

Wir sind hier in Leipzig. Das ist in welchem Land?

➔

Das ist in Sachsen.

Wie viele Einwohner hat Sachsen?

➔

Es hat 4,9 Millionen Einwohner.

Und ist Dresden größer als Leipzig?

➔

Nein. Es ist kleiner.

Wie viele Einwohner hat Dresden?

➔

488 000.

Hörabschnitt 3

Complete the following dialogue by providing the dates you are asked for.

Entschuldigung. Ich schreibe einen Artikel über Leipzig und möchte einige Daten wissen. Wann wurde die Nikolaikirche gebaut, bitte?

➔

Im 12. Jahrhundert.

Das Alte Rathaus ist besonders schön. Wann wurde es gebaut?

➔

1556.

Und die Thomaskirche wurde in welchem Jahrhundert gebaut?

➔

Im 13. Jahrhundert.

Und Schumann kam als Student hierher?

➔

Ja, im Jahre 1831.

Wann war Bach Leiter des Thomanerchors, bitte?

➔

Im 18. Jahrhundert.

Hörabschnitt 4

In the following three telephone conversations people make arrangements to meet.

Dialog 1

Frau Schneider Schneider.

Herr Eltges Guten Abend, Frau Schneider. Eltges hier.

Frau Schneider Guten Abend, Herr Eltges. Wie geht's Ihnen?

Herr Eltges Gut, danke. Ähm, ich rufe an, weil meine Frau und ich heute abend essen gehen. Hätten Sie vielleicht Lust mitzukommen?

Frau Schneider Das ist nett von Ihnen. Da komme ich gerne mit.

Herr Eltges Prima. Wie wäre es mit acht Uhr? Geht das?

Frau Schneider Ja, das ist kein Problem. Aber wo treffen wir uns?

Herr Eltges Am besten direkt vor dem Restaurant. Essen Sie gerne Italienisch?

Frau Schneider Ja ja, sehr.

Herr Eltges Wir gehen am liebsten zu dem Italiener am Marktplatz …

Frau Schneider … ja …

Herr Eltges … gegenüber vom Rathaus.

Frau Schneider Ja, ich weiß, wo Sie meinen. Um acht Uhr vor dem Restaurant also?

Herr Eltges Gut. Ich freue mich drauf. Dann, äh – bis heute abend!

Frau Schneider Ja, bis heute abend. Und schönen Dank noch mal! Auf Wiederhören.

Herr Eltges Auf Wiederhören.

Dialog 2

Frau Schaan Wollen wir zusammen etwas unternehmen?

Herr Finkler Ja, ja … das wäre eine gute Idee.

Frau Schaan Hmm, hätten Sie Lust, ins Theater zu gehen? Morgen abend gibt es *Mutter Courage*.

Herr Finkler Ah, es tut mir leid. Morgen abend kann ich leider nicht. Ich bin schon verabredet.

Frau Schaan Ach schade. Aber – vielleicht könnten Sie bei uns zu Mittag essen?

Herr Finkler Ja, gerne.

Frau Schaan Aha, gut, da freue ich mich schon drauf. Äh, sagen wir um zwölf bei uns?

Herr Finkler Ja, gut.

Frau Schaan Haben Sie die Adresse?

Herr Finkler Ja, die habe ich. Um zwölf bei Ihnen. Ich bedanke mich für die Einladung.

Frau Schaan Oh, nichts zu danken. Und wenn Sie am Nachmittag noch Zeit haben, könnten wir spazierengehen. Wir zeigen Ihnen die Ammer …

Dialog 3

Klaus Was machst du heute abend?

Karin Nichts. Ich bleibe zu Hause und sehe fern. Ich muß mich mal ausruhen.

Klaus Ach, hast du keine Lust, ins Kino zu gehen?

Karin Nein. Heute wirklich nicht. Ich bin todmüde und ich will früh ins Bett gehen. Wie wäre es mit morgen? Im Olympia läuft *Star Trek 15*, oder?

Klaus Hmm, Moment – ja, stimmt. Um 19.45 Uhr und, äh, um 21.45 Uhr.

Karin Okay, dann treffen wir uns doch morgen um zwanzig vor acht vorm Olympia.

Klaus Hm, na gut. Bis morgen dann. Tschüs.

Karin Tschüs.

Hörabschnitt 5

Here you take part in two dialogues in which arrangements are made. Your prompts are given in English and each will be followed by a pause for your answer. The model answer will then be given.

Dialog 1

Möchten Sie heute abend mit uns ins Theater gehen?

(Yes. Very much. At what time?)

➜

Ja. Sehr gerne. Um wieviel Uhr?

Die Vorstellung fängt um acht Uhr an.

(Shall we meet at the theatre?)

➜

Treffen wir uns am Theater?

Ja. Um wieviel Uhr?

(How about half-past seven?)

➜

Wie wäre es mit halb acht?

Ja. Halb acht am Theater.

(Good. See you later.)

➜

Gut. Bis später.

Dialog 2

Was machst du heute abend?

(I'm watching television.)

➜

Ich sehe fern.

Möchtest du nicht essen gehen?

(No. I don't feel like it.)

➜

Nein. Ich habe keine Lust.

Warum nicht?

(I'm dead tired.)

➜

Ich bin todmüde.

Schade.

(I'm going to bed early.)

➜

Ich gehe früh ins Bett.

Wie wäre es mit morgen?

(No. I'm sorry. I've already got something on.)

➜

Nein. Es tut mir leid. Ich bin schon verabredet.

Am Dienstag?

(Yes. That's OK. Where?)

➜

Ja. Das geht. Wo?

Das ist mir egal.

(Do you know the Italian restaurant in the pedestrian area?)

➜

Kennst du das italienische Restaurant in der Fußgängerzone?

Ja.

(We could meet there at eight o'clock.)

→

Wir könnten uns um acht Uhr dort treffen.

Ja. Machen wir das.

(OK. See you Tuesday.)

→

Gut. Bis Dienstag.

Hörabschnitt 6

Now listen to some people talking about their homes.

I Herr Winter

Man muß wissen, daß die Gegend hier um Stuttgart und Tübingen herum die teuerste Gegend, äh, Deutschlands ist. Hier sind die Häuser praktisch doppelt so teuer wie anderswo und, äh, man muß demzufolge sich etwas einschränken. Wir haben hier eine Eigentumswohnung gekauft mit ungefähr 120 Quadratmetern. Wir haben vier Zimmer und wie das in Deutschland üblich ist, man hat seinen Keller und in diesem Hause, in dem wir wohnen, sind wir vier Parteien. Und, ja, man hat dann zum Beispiel die Waschküche zusammen, und man hat den Fahrradkeller zusammen und es gibt auch noch ein paar andere Dinge, die man zusammen, äh, hat. Ansonsten, wie gesagt, Keller, einige haben noch einen Dachboden, das ist glaub' ich so typisch für deutsche Wohnverhältnisse.

2 Herr Hartmann

Ich wohne außerhalb, einer kleinen Ortschaft mit 3 600 Einwohnern, in Nähren, in einem Einfamilienhaus mit einer Wohnfläche von rund 140 Quadratmetern und einem riesengroßen Garten.

3 Professor Möhle

… also zurück zu unserem Haus und unserem Garten. Das sind etwa hier 1 200 Quadratmeter, auf dem dieses frühere Einfamilien-, heute Zweifamilienhaus, in den dreißiger Jahren errichtet wurde.

4 Frau Storr

Ja, es ist also eine Doppelhaushälfte, und wir haben vier Zimmer auf zwei Stockwerken, und ein Dachgeschoß, das Büro. Es besteht aus einem Wohnzimmer, einer Küche im Erdgeschoß und einer Toilette, und im ersten Stock zwei Kinderzimmer und das Schlafzimmer und's Bad.

5 Frau Patzwahl

Also, ich bin vor zehn Jahren erst in eine Zweizimmerwohnung eingezogen und habe dann, weil unsere Familie einfach gewachsen ist, ähm, eine Dreizimmerwohnung bekommen und hier seit zwei Jahren wohnen wir in der Vierzimmerwohnung, die sich über drei Stockwerke hinzieht.

Hörabschnitt 7

Here are some people spelling names. Listen to the way the letters are pronounced.

I Wie schreibt man Belfast?
B-e-l-f-a-s-t.

2 In welcher Region wohnt er?
In Clwyd.
Kannst du das buchstabieren?
C-l-w-y-d.

3 Wie heißt denn Ihr Sohn?
Er heißt Xavier.
Wird das mit 'z' geschrieben?
Nein. Das ist X-a-v-i-e-r.

4 Wie schreibt man Quorn?

Q-u-o-r-n.

5 **Das ist in der Nähe von Lougherne.**

Wo?

Lougherne. L-o-u-g-h-e-r-n-e.

6 **Jarrow liegt im Norden.**

Wird das mit 'j' geschrieben?

Ja. J-a-r-r-o-w.

7 Wohin fährst du?

Nach Kempton.

Warte mal. Ich schreib' das auf. Wie wird das geschrieben?

K-e-m-p-t-o-n.

Hörabschnitt 8

Frau Hilde Rösner lives in Lustnau. Here she describes her home.

Mein Name ist Hilde Rösner. Also, ich wohne seit dreizehn Jahren mit meinem Mann und meinen zwei Töchtern in einem Zweifamilienhaus in Lustnau. Lustnau ist ein Vorort südlich von Tübingen. Wir wohnen im ersten Stock, und im Erdgeschoß wohnt der Hauseigentümer mit seiner Familie. Unsere Wohnung ist relativ groß – die Wohnfläche beträgt 98 Quadratmeter. An Miete zahlen wir 1 200 Mark im Monat.

Hörabschnitt 9

Now Frau Rösner describes where she used to live.

Ähm, naja, unsere Wohnung war sehr schön – wir hatten 110 Quadratmeter Wohnfläche. Natürlich war die Miete sehr hoch – wir haben damals 800 Mark im Monat bezahlt. Aber das größte

Problem war der viele Verkehr – wir haben direkt an der Hauptstraße gewohnt, ach, es gab zu viel Lärm. Der Lärm und die Verschmutzung waren einfach furchtbar – überall waren Autos. Unsere Töchter konnten nirgendwo spielen. Deshalb wollten wir umziehen. Wir haben überall gesucht und haben dieses Haus am Stadtrand gefunden. Wir sind vor dreizehn Jahren umgezogen.

Hörabschnitt 10

You now take part in a dialogue in which you imagine that you live in Leipzig. Speak in the pause provided after your English prompt.

Wo wohnen Sie?

(I live in a suburb in the south of Leipzig.)

➔

Ich wohne in einem Vorort im Süden von Leipzig.

Wohnen Sie in einem Einfamilienhaus?

(No, I have a flat in a house for three families.)

➔

Nein, ich habe eine Wohnung in einem Dreifamilienhaus.

Wohnen Sie gerne dort?

(Yes. The flat's quite big – I have 95 square metres and five rooms.)

➔

Ja. Die Wohnung ist ziemlich groß – ich habe 95 Quadratmeter und fünf Zimmer.

Wo haben Sie früher gewohnt?

(I used to live in a flat in an old building in the centre of Leipzig.)

➔

Früher habe ich in einer

Altbauwohnung im Zentrum von Leipzig gewohnt.

Warum sind Sie dort weggezogen?

(There was too much traffic there.)

➔

Dort gab es zu viel Verkehr.

Gab es noch weitere Gründe?

(Yes, the rent was too high and the flat was too small.)

➔

Ja, die Miete war zu hoch und die Wohnung war zu klein.

Hörabschnitt 11

Here you take part in an interview about the traffic problems of Tübingen. Speak in the pause after each English prompt.

Haben Sie Verkehrsprobleme in Tübingen?

(Yes. The traffic problems are especially bad.)

➔

Ja, die Verkehrsprobleme sind besonders schlimm.

Warum?

(Because too many people commute.)

➔

Weil zu viele Leute pendeln.

Warum pendeln so viele Leute?

(They are not in a position to pay the rents.)

➔

Sie sind nicht in der Lage, die Mietpreise zu bezahlen.

Ich habe hier viele parkende Autos gesehen.

(Yes. There are too many cars in the town centre.)

➔

Ja, es gibt zu viele Autos in der Stadtmitte.

Man hat hier aber Versuche mit einer neuen Art Siedlung gemacht.

(Yes. The new estate is called Schafbrühl. It's on the edge of town.)

➔

Ja. Die neue Siedlung heißt Schafbrühl. Sie liegt am Stadtrand.

Was macht man denn dort mit den Autos?

(They have to stay outside the estate.)

➔

Sie müssen außerhalb der Siedlung bleiben.

Hörabschnitt 12

You now take part in an interview as a resident of Schafbrühl. Speak in the pause after each English prompt.

Seit wann wohnen Sie hier?

(I've lived here in Schafbrühl for three years.)

➔

Ich wohne seit drei Jahren hier in Schafbrühl.

Und wohnen Sie gern hier?

(Yes. It's really great to live here.)

➔

Ja. Es ist wirklich ganz toll, hier zu wohnen.

Warum ist es so toll, hier zu wohnen?

(Firstly, you have very good social contacts here.)

➔

Erstens hat man hier sehr gute soziale Kontakte.

Und zweitens?

(Secondly, the cars have to stay outside the estate.)

➔

Zweitens müssen die Autos am Rande der Siedlung bleiben.

Das ist sicher gut für Leute mit Kindern?

(Yes. The estate is especially child friendly.)

Ja. Die Siedlung ist besonders kinderfreundlich.

Gibt es für die Kinder gute Spielmöglichkeiten?

(Yes. There are courtyards, and the children can play there.)

Ja. Es gibt Innenhöfe, und die Kinder können dort spielen.

Hörabschnitt 13

This is a conversation in which you describe where you live. Speak in the pause provided after each English prompt.

Wo wohnen Sie jetzt?

(I have a flat in the middle of town.)

Ich habe eine Wohnung in der Stadtmitte.

Und wie groß ist die Wohnung?

(It's got five rooms.)

Es ist eine Fünfzimmerwohnung.

Und ist die Wohnung im Erdgeschoß?

(No, it's on the third floor, under the roof.)

Nein. Sie ist im dritten Stock unter dem Dach.

Wie weit ist es bis zur Stadtmitte?

(I live ten minutes from the centre of town.)

Ich wohne zehn Minuten von der Stadtmitte entfernt.

Und wo haben Sie früher gewohnt?

(I used to live with my parents.)

Ich habe früher bei meinen Eltern gewohnt.

Hörabschnitt 14

Here is a description of four people who live in Tübingen and Leipzig.

Frau Stabenow wohnt am Stadtrand. Es gefällt ihr dort sehr gut. Wenn sie das Haus verläßt, trifft sie immer viele Bekannte. Ihre Kinder wohnen in einer anderen Stadt.

Frau Baumeister wohnt nicht in der Stadt, sondern in einem Dorf zehn Kilometer südlich von Tübingen. Sie wohnt sehr gerne in Süddeutschland. Sie ist gern in der Natur und geht mit ihrem Mann oft spazieren.

Dr. Setzler wohnt mit seiner Familie in der Stadtmitte. Er fühlt sich dort sehr wohl, weil er zu Fuß in sein Büro gehen kann. Seine Kinder können auch zu Fuß einkaufen gehen.

Herr Rübling fühlt sich ganz zu Hause in Leipzig. Er hat als Taxifahrer sehr lange Arbeitszeiten und hat wenig Zeit für sich. Mit seiner Frau wohnt er in einem neuen Haus am Rande der Stadt. Leipzig gefällt ihnen gut.

Hörabschnitt 15

The following is a poem by the 19th century North German poet, Theodor Storm.

Die Stadt

Am grauen Strand, am grauen Meer
Und seitab liegt die Stadt;
Der Nebel drückt die Dächer schwer,
Und durch die Stille braust das Meer
Eintönig um die Stadt.

Es rauscht kein Wald, es schlägt im Mai
Kein Vogel ohn' Unterlaß;
Die Wandergans mit hartem Schrei
Nur fliegt in Herbstesnacht vorbei,
Am Strande weht das Gras.

Doch hängt mein ganzes Herz an dir,
Du graue Stadt am Meer;
Der Jugend Zauber für und für
Ruht lächelnd doch auf dir, auf dir,
Du graue Stadt am Meer.

Hörabschnitt 16

Here you take part in an interview for local radio, taking the role of Johannes Pietrowski. Speak in the pauses after the English prompts.

– Guten Tag, liebe Hörer und Hörerinnen. In der Sendereihe *Wer wohnt hier in Leipzig?* hören Sie heute ein Interview mit Herrn Johannes Pietrowski, einem gebürtigen Rostocker, der jetzt bei uns in Leipzig wohnt. Guten Tag, Herr Pietrowski.

– Guten Tag.

– Sie wohnen seit vielen Jahren hier in der Gegend. Können Sie uns zuerst sagen, wo genau Sie wohnen?

(I live in Biennitz in the north of Leipzig.)

→

Ich wohne in Biennitz im Norden von Leipzig.

Wohnen Sie gerne hier?

(Yes, very much. I have everything I need here.)

→

Ja, sehr. Ich habe hier alles, was ich brauche.

Wo haben Sie früher gewohnt?

(I used to live in a small flat in Chemnitz.)

→

Früher habe ich in einer kleinen Wohnung in Chemnitz gewohnt.

Und haben Sie auch dort gerne gewohnt?

(Yes. The flat was too small but there was a good community spirit.)

→

Ja. Die Wohnung war zu klein, aber es gab ein gutes Gemeinschaftsgefühl.

Was hat Ihnen dort nicht gefallen?

(It was a really basic flat.)

→

Die Wohnung war ohne Komfort und Luxus.

Es gefällt Ihnen hier also besser?

(Yes. I like it here better.)

→

Ja. Es gefällt mir besser hier.

Hörabschnitt 17

In this short radio broadcast you will hear the warden of the hostel for homeless people and one of the residents.

– Herr Schmidt, Sie sind Leiter des Hauses. Können Sie uns sagen, wie die Situation jetzt hier im Haus ist?

– Ja, meine Funktion also – ich bin Leiter des Hauses. Leider haben wir ein großes Problem mit Obdachlosigkeit in Leipzig, und so war nach dem Brand dieser Wiederaufbau dringend notwendig. Es haben bereits 42 Männer und Frauen Quartier bezogen und das sind grundsätzlich Leute mit guten Integrationschancen. 85 Prozent von ihnen haben Arbeit, gehen also einer geregelten Arbeit nach und kommen abends wieder hierher, wo sie dann ein Bier trinken oder Karten spielen. In den Aufenthaltsräumen sind auch Fernseher, und Fernsehen ist natürlich eine beliebte Beschäftigung am Abend.

– Und Sie, Herr Schimmel, als Bewohner des Hauses, was denken Sie?

– Tja, also, äh, ich wohne hier im Haus, und natürlich ist dieses neue Haus viel, viel besser als die anderen. Aber andererseits muß man sagen: Es ist doch ein schlechtes Zeichen, daß immer mehr neue Obdachlosenheime gebraucht werden.

Ende von Seite 1

Thema 2
Menschenbilder

Hörabschnitt I

Frau Mayerhofer talks about her childhood in Silesia and Leipzig.

Ja also, ich bin als Kind öfter in Schlesien gewesen. Meine Verwandten dort, die hatten fast alle so Bauerngüter und das war für mich sehr schön. Ich habe die Natur und die Landschaft und die Landwirtschaft auch geliebt. Ich hab' auch im Krieg dann dort mitgeholfen noch in der Landwirtschaft bei einem Verwandten, aber als meine Heimat habe ich's nicht empfunden. Ich bin eigentlich auch gerne hier in Leipzig gewesen. Meine Eltern wohnten früher auch in einem Vorort von Leipzig, und da bin ich auch so etwas mehr im Grünen und am Waldrand großgeworden.

Hörabschnitt 2

Here you respond to questions about Frau Mayerhofer, using the prompts provided on the tape.

Was hat Frau Mayerhofer als Kind oft gemacht?

(She often went to Silesia.)

→

Sie ist oft in Schlesien gewesen.

Warum?

(She visited her relations.)

→

Sie hat ihre Verwandten besucht.

Und ist sie gerne dorthin gefahren?

(Yes. She loved the countryside very much.)

→

Ja. Sie hat die Landschaft sehr geliebt.

Sie ist im Krieg dort gewesen, nicht wahr? Was hat sie gemacht?

(She helped with the farming.)

→

Sie hat in der Landwirtschaft mitgeholfen.

Und hat sie sich dort zu Hause gefühlt?

(Yes. But she also liked to be in Leipzig.)

→

Ja. Sie ist aber auch gern in Leipzig gewesen.

Warum?

(Because her parents had a house there on the edge of the woods.)

→

Weil ihre Eltern dort ein Haus am Waldrand hatten.

Hörabschnitt 3

You now answer questions about the life of your imaginary relative, Felix Helt. This time there are no prompts. Speak in the pause after each question.

Ihr Verwandter stammt aus Deutschland?

→

Er hat aber in Deutschland gelebt, oder?

→

Wo war er im Krieg?

→

Er ist aber in Deutschland auf der Uni gewesen, nicht wahr?

→

Und danach?

→

Hörabschnitt 4

You will now hear information about the countries of origin of people who have come to live in Germany.

1994 lebten in Deutschland ungefähr 8,8 Millionen ausländische Mitbürger.

Sie kamen hauptsächlich aus folgenden Ländern: 1 855 000 kamen aus der Türkei und über 900 000 aus Ex-Jugoslawien. 558 000 waren Italiener, 346 000 waren Griechen. 185 000 waren Österreicher, 167 000 Rumänen und 134 000 Spanier. 114 000 kamen aus den Niederlanden, und 104 000 waren US-Amerikaner. Von den 1 855 000 Türken waren etwa 450 000 Kurden mit türkischer Staatsangehörigkeit.

Hörabschnitt 5

In this activity you take part in an interview about the children adopted by the Dietrich family. Respond to the questions, using the prompts you are given.

Woher kommen die beiden Kinder?

(They were born in Cambodia.)

→

Sie sind in Kambodscha geboren.

Und warum sind sie nach Deutschland gekommen?

(They have no family.)

→

Sie haben keine Familie mehr.

(They lost their parents and brothers and sisters in the war.)

→

Sie haben ihre Eltern und ihre Geschwister im Krieg verloren.

Sind sie adoptiert worden?

(Yes. The Dietrich family adopted them.)

→

Ja. Die Familie Dietrich hat sie adoptiert.

Und wie alt waren sie, als sie gekommen sind?

(The boy was 11 and his sister was 10.)

→

Der Junge war 11 und seine Schwester war 10.

Sind sie nicht etwas isoliert im Dorf?

(No. Their new parents have friends all over the world.)

→

Nein. Ihre neuen Eltern haben Freunde in der ganzen Welt.

(They have a lot of visitors.)

→

Sie bekommen viel Besuch.

Sie treffen also viele andere Leute?

(Yes. Last month there were exchange children from Asia here.)

→

Ja. Letzten Monat waren Austauschschüler aus Asien da.

Und haben die Dietrichs noch mehr Kinder?

(Yes. They have two other children.)

→

Ja. Sie haben noch zwei andere Kinder.

(All four children grew up together.)

→

Alle vier Kinder sind zusammen aufgewachsen.

Hörabschnitt 6

Here are two conversations in which people are introduced and greet each other at a party.

Dialog 1

Hartmut Hallo, Bernd und Sonja. Schön, daß Ihr da seid. Wie geht's euch?

Bernd Hallo. Mir geht's gut. Mir geht's eigentlich immer gut, wenn Parties gefeiert werden. Und was ist mit deiner Mutter? Geht es ihr wieder besser?

Hartmut Tja, danke, gut. Aber komm doch erst mal 'rein.

Bernd Mensch, das ist ja toll geworden. Wie lange wohnt ihr jetzt schon hier?

Hartmut Seit Januar. Ah – Ülkü, darf ich dir meinen Freund Bernd vorstellen? Bernd, das ist Ülkü, eine Freundin von Sultan.

Ülkü Hallo, Bernd. Freut mich, dich kennenzulernen.

Bernd Freut mich auch.

Hartmut Was möchtet ihr denn trinken, ihr zwei?

Dialog 2

Frau Braun Guten Abend, Herr Holzner. Schön, daß Sie kommen konnten.

Herr Holzner 'n Abend, Frau Braun. Das Projekt ist endlich fertig. Wie geht es Ihnen denn jetzt im neuen Haus?

Frau Braun Sehr gut, vielen Dank. Darf ich Ihnen meine Nachbarin, Frau Schneider, vorstellen? Sibylle, das ist Herr Holzner vom *Tübinger Tageblatt*.

Herr Holzner Guten Abend, Frau Schneider, freut mich.

Frau Braun Und das ist mein Partner Hartmut, und das sind Bernd und Ülkü, unsere Freunde. Darf ich euch Herrn Holzner vorstellen?

Alle Hallo, guten Abend.

Hartmut Wollen wir uns nicht alle duzen? Das ist doch einfacher.

Herr Holzner Ja, gern.

Hörabschnitt 7

You now take part in four dialogues, following the English prompts given.

1 **Meeting a colleague and his friend**

Guten Abend. Wie geht's?

(I'm fine thanks.)

➔

Mir geht's gut, danke.

Darf ich dir meine Freundin Sylvia vorstellen?

(Hello. Glad to meet you.)

➔

Guten Tag. Freut mich, Sie kennenzulernen.

2 **Two friends arrive at your home**

Hallo. Wir sind auch schon da!

(How are things with you?)

➔

Und wie geht's euch?

Danke. Bestens. Und dir?

(Much better, thanks.)

➔

Viel besser, danke.

Wie geht's eurem Sohn?

(He's fine. But come in.)

➔

Es geht ihm gut. Aber kommt doch herein.

3   Introducing your cousin

Guten Tag.

(Hallo, Frau Schneider. How are you?)

→

Guten Tag, Frau Schneider. Wie geht's Ihnen?

Danke. Es geht mir jetzt viel besser.

(Can I introduce my cousin Stephan?)

→

Darf ich Ihnen meinen Vetter Stephan vorstellen?

Freut mich.

4   A telephone conversation – friends are coming

Ja. Max und ich kommen nächsten Dienstag.

(And how are you?)

→

Und wie geht's euch?

Uns geht's gut, danke. Und euch?

(Fine thanks. How's your sister?)

→

Gut danke. Wie geht's deiner Schwester?

Hmm, leider geht's ihr im Moment nicht so gut.

(Oh, I'm sorry.)

→

Oh, das tut mir leid.

Hörabschnitt 8

Listen to the following five conversations in which people comment about others who were at a party.

Dialog 1

– Wer war der lange, lustige Typ?

– Äh, wen meinst du?

– Den mit dem Bart. Er hatte eine runde Brille auf.

– Aha, kennst du ihn nicht? Das ist der Karl. Er ist immer sehr fröhlich und aufgeschlossen.

Dialog 2

– Hast du mit Sibylle gesprochen?

– Mit wem?

– Mit Sibylle. Die mit den roten Haaren.

– Oh, ja. Ich finde sie total nett. Sie ist immer sehr lustig.

Dialog 3

– Hast du Anna gesehen? Ihre Haare waren grün.

– Ja, und wie die immer geschminkt ist! Ich habe nicht mit ihr gesprochen.

– Warum nicht?

– Ach, ich kann sie nicht leiden. Ich finde sie dumm und unsympathisch.

– Wirklich? Ich mag sie sehr gern!

Dialog 4

– Mit wem hast du so lange gesprochen?

– Das war die Angelika. Die ist total in Ordnung.

– Ja. Sie war mir sehr sympathisch.

– Sie ist sehr nett. Ein bißchen ruhig vielleicht, aber sie interessiert sich für alles.

– Hmm.

Dialog 5

– Du hast dich schon wieder mit Peter gestritten.

– Ja. Er ist so intolerant! Ich kann ihn nicht leiden.

– Zu mir ist er immer freundlich.

– Naja. Unfreundlich ist er nicht. Aber er ist so stur und arrogant. Ach, er geht mir einfach auf die Nerven.

Hörabschnitt 9

Here you take part in two dialogues at an introductions agency, following the prompts given in English.

Dialog I

… und Sie haben mir Informationen über einige Leute geschickt. Ähm, können Sie mir nähere Details über diese Leute geben?

(Yes, of course.)

→

Ja, natürlich.

Die erste Dame ist Doris aus Wuppertal.

(Yes. Doris is 36 years old, and 1.65 m tall.)

→

Ja. Doris ist 36 Jahre alt und 1,65 m groß.

(She has fair hair and blue eyes.)

→

Sie hat helle Haare und blaue Augen.

Hm, danke schön. Was ist sie von Beruf?

(She is an editor. She describes herself as humorous and open-minded.)

→

Sie ist Redakteurin. Äh, sie beschreibt sich als humorvoll und aufgeschlossen.

(She's interested in theatre.)

→

Sie interessiert sich für Theater.

Hm, danke sehr.

Dialog 2

Können Sie mir etwas über Günther sagen?

(He's 32 and 1.85 m.)

→

Er ist 32 und 1,85 m.

(He has short hair and brown eyes.)

→

Er hat kurze Haare und braune Augen.

Wofür interessiert er sich?

(He's interested in sport, especially football.)

→

Er interessiert sich für Sport, besonders Fußball.

(He goes swimming a lot.)

→

Er schwimmt viel.

Und vom Charakter her?

(He describes himself as good looking, and very enthusiastic.)

→

Er beschreibt sich als gutaussehend und sehr begeisterungsfähig.

Ja. Und da war ein anderer noch. Der heißt Thomas und kommt aus Wetzlar.

Hörabschnitt 10

You now hear two people responding to a survey about what they like to wear.

Interview I

– Wir machen heute eine Umfrage für eine neue Modezeitschrift, *Sylvia*, und möchten gerne wissen: Was für Kleidung tragen Sie gern?

– Also, ich trage meistens Jeans und Pullover oder Sweatshirts. Äh, ich mag aber auch Leggings mit weiten Hemden oder Blusen darüber.

– Äh, was tragen Sie nicht gerne?

– Naja, enge Sachen trage ich selten, weil ich finde, sie stehen mir nicht.

– Und was tragen Sie bei der Arbeit?

– Also, bei der Arbeit trage ich meistens bequeme Kleidung. Ich bin Lehrerin, na und da muß ich nicht besonders schicke Kleidung tragen.

– Und zu besonderen Anlässen, was tragen Sie da?

– Ja, bei so einer Gelegenheit gebe ich schon gern mal viel Geld für Klamotten aus. Also zum Beispiel für die Hochzeit meines Bruders im Sommer hab' ich mir gerade eine Kombination in Weiß gekauft: Also weißer Rock, dann weißes Oberteil und ein weißes, kurzes Jäckchen.

Interview 2

– Entschuldigen Sie, wir machen gerade eine Umfrage für die *Sylvia*. Würden Sie uns bitte sagen, was Sie gern tragen?

– Gern tragen? Ich habe eigentlich keine Wahl. Ich bin in einer Führungsposition bei einer Bank, und das heißt, dunkler Anzug oder dunkles Jackett, helles Hemd und, äh, eine dezente Krawatte.

– Und in der Freizeit? Tragen Sie da gerne mal was anderes?

– Naja, samstags und sonntags trage ich gern sportliche Kleidung – Baumwollhosen, oder einen Jogginganzug.

Hörabschnitt 11

In this activity you take part in a dialogue about what your colleagues wear. Follow the prompts given in English.

Sag mal, was trägt denn dein Abteilungsleiter so?

(Oh, he's got no taste.)

→

Ach. Der hat keinen Geschmack!

Wieso?

(He wears the same things every day.)

→

Er trägt jeden Tag dieselben Sachen.

Was trägt er denn?

(He always wears a grey suit and a white shirt.)

→

Er trägt immer einen grauen Anzug und ein weißes Hemd.

Aha! Und Krawatten?

(Sometimes he has a nice tie. I like his ties.)

→

Manchmal hat er eine schöne Krawatte. Ich mag seine Krawatten.

Mmm. Und deine Abteilungsleiterin, Frau Krem?

(She's very smart. She often wears high heels.)

→

Sie ist sehr schick. Sie hat oft hohe Absätze an.

(Mostly she wears a dark suit.)

→

Meistens trägt sie ein dunkles Kostüm.

Äh, und wie heißt der andere Kollege? Äh, Hans-Peter Schwarz?

(He always wears pullovers. He never wears a jacket.)

→

Also, er trägt immer Pullover. Er trägt nie ein Jackett.

Überhaupt nie?

(No. On special occasions he wears a tie perhaps.)

→

Nein. Zu besonderen Anlässen trägt er vielleicht eine Krawatte.

Hörabschnitt 12

You're talking to a friend who is a fashion wholesaler. He asks your opinion about his collections. Take part in the two dialogues following the prompts given in English.

Dialog 1

Hier haben wir unsere Herrenkollektion. Wie findest du sie?

(I like the long jacket.)

→

Ich mag das lange Jackett.

Ähm, welches?

(The blue one. It goes well with the dark trousers.)

→

Das blaue. Es paßt gut zu der dunklen Hose.

Ja. Das finde ich auch. Gibt's noch etwas, was dir gefällt?

(Yes. I like the light suit. Is it made of wool?)

→

Oh ja. Ich mag den leichten Anzug. Ist er aus Wolle?

Ja. Der ist aus Wolle.

(Then it's too warm for the summer.)

→

Dann ist er zu warm für den Sommer.

Ja, klar. Wir verkaufen ihn als leichten Winteranzug.

Oh.

Dialog 2

Und das hier ist unsere Damenkollektion. Gefällt sie dir?

(I like the skirts.)

→

Ich mag die Röcke.

Hmm, ich mag sie auch. Aber wie findest du diese Kleider hier?

(I don't like the red dress. It's too long.)

→

Das rote Kleid gefällt mir nicht. Äh, es ist zu lang.

Und dieses hier? Das grüne?

(That's nice. I like it a lot. What does it cost?)

→

Das ist schön. Es gefällt mir sehr. Was kostet es?

Hörabschnitt 13

Here are some statistics about the size of Germany and its population.

Deutschland ist 357 000 Quadratkilometer groß. Von Norden nach Süden sind es 876 Kilometer Luftlinie, von Westen nach Osten sind es 640 Kilometer Luftlinie. Die Grenzen der Bundesrepublik sind insgesamt 3 767 Kilometer lang.

Deutschland hat rund 80 Millionen Einwohner. Es hat nach Rußland die größte Bevölkerung in Europa, vor Italien mit 58 Millionen, Großbritannien mit 57 Millionen und Frankreich mit 56 Millionen Menschen. Deutschland ist allerdings kleiner als Frankreich mit 552 000 Quadratkilometern und Spanien mit 505 000 Quadratkilometern.

Hörabschnitt 14

In this dialogue you provide statistical information about Germany to an enquirer.

Speak in the pause after each question. You will then hear the correct answer.

Wie groß ist Deutschland?

Es ist 357 000 Quadratkilometer groß.

Und wie weit ist es von Norden nach Süden?

Es sind 876 Kilometer.

Und wie viele Einwohner hat Deutschland?

Es hat rund 80 Millionen Einwohner.

Ist das mehr oder weniger als Frankreich?

Das ist mehr als Frankreich.

Frankreich ist aber ein großes Land. Wissen Sie, wie groß es ist?

Ja. Es ist 552 000 Quadratkilometer groß.

Hörabschnitt 15

In this extract Herr Winck, a refugee from Poland after the war, tells his life story.

Ursprünglich geboren bin ich in Breslau, Schlesien, heute Wrocław in Polen, und wir wurden 1946 mit dem Rest der deutschen Bevölkerung evakuiert und kamen nach einer Fahrt quer durch Deutschland hmm, nach Ostfriesland, Norden in Ostfriesland, das ist südlich von Norddeich, und dort verbrachten wir die ersten fünf Jahre meines Lebens, nein, insgesamt neun, neun, Jahre meines Lebens und die ersten drei Schuljahre; und wir wurden dann ins Ruhrgebiet umgesiedelt. Und so war ich dann in Gelsenkirchen, ging dort aufs Gymnasium, machte dort Abitur, meine Familie blieb dort, ich selbst ging nach dem Abitur für zwei Jahre zur Bundeswehr nach Oberbayern in einen Standort einer Gebirgseinheit und, nachdem ich zwei Jahre später entlassen wurde, und dort mit lauter Schwaben zusammen war, begann ich meine Studien in Tübingen. Seitdem wohne ich in Tübingen oder um Tübingen herum.

Hörabschnitt 16

Herr Winck now describes a conversation he once heard in a pub when he was a student.

Ich war Student noch, und ich saß in einer Wirtschaft an einem Tisch mit etwa damals 70- bis 75jährigen älteren Herren, die von ihrer Jugend erzählten. Und einer erzählte, daß er in Mannheim beim Militär gewesen sei. Und dann sagte er – und ich spreche jetzt Hochsprache – „Da waren wir ganz international: Da waren Bayern, da waren Schwaben, da waren Hessen …" usw., und das beschreibt ein wenig das Gefühl, das diese Regionalabtrennungen, äh, vermitteln, nicht. Man ist Deutscher in zweiter Hinsicht erst, oder in Konkurrenz zu einer anderen Nationalität.

Hörabschnitt 17

Here Herr Winck gives his view of the Swabian character.

Das ist eine Eigenart eigentlich auch des, des Schwaben, selbst akademischer Bildung, daß er sehr stark regional verwurzelt bleibt. Er ist sehr tolerant, er ist sehr weltoffen, aber immer mit dem Hintergedanken: Bei mir zu Hause ist es am schönsten und, ähm, da gehöre ich hin.

Hörabschnitt 18

Frau Schmidt describes her background.

Ich bin aus Leipzig. Ich bin in Leipzig geboren. Mein Vater war Leipziger und meine Mutter, die ist in Berlin geboren und in Österreich aufgewachsen. Ich habe viele Verwandte noch in Österreich, aber meine, meine Eltern haben dann in Leipzig geheiratet, und das war nach dem ersten Weltkrieg, und ich bin hier geboren und bin hier zur Schule gegangen, habe meinen Mann hier kennengelernt. Wir waren auf dem Gymnasium. Also, wir haben uns, und naja, und waren 44 Jahre verheiratet, bis er dann starb.

Ende von Seite 2

Thema 1 Zwei deutsche Städte 00:00–13:58

Teil I   00:00–04:31

Zwei deutsche Städte und ihre Einwohner – das ist das Thema dieses Kurses. Tübingen und Leipzig: Zwei Städte – so viele Kontraste.

Tübingen liegt im Süden Deutschlands, im Bundesland Baden-Württemberg. Leipzig liegt im Osten Deutschlands, im Bundesland Sachsen. Leipzig ist eine Industrie- und Messestadt mit zirka 500 000 Einwohnern und war vor der Wende eine der größten Städte der DDR.

Tübingen ist ganz anders. Tübingen ist eine kleine Universitätsstadt mit 80 000 Einwohnern. Tübingen hat alte Häuser, rote Dächer, eine idyllische Altstadt, Parks, historische Bauwerke direkt am Fluß, Bäume, Grünflächen, ein Schloß, Wohnungen über den Dächern der Stadt.

Dr. Wilfried Setzler, Kulturamtsleiter, Tübingen

Ich bin Tübinger – wenn man Tübinger werden kann! Ich fühle mich als Tübinger; ich bin nicht hier geboren, ich bin als Student hierher gekommen.

Die Stadt Tübingen ist 1 500 Jahre alt. Im 15. Jahrhundert war Tübingen schon die zweitgrößte Stadt des Herzogtums Württemberg. Die Universität wurde 1477 gegründet. Sie ist das Zentrum der Stadt. Oben am Berg, neben der Universität, wohnten früher die reichen Bürger in ihren prächtigen Stadthäusern. Die Arbeiter der Stadt bauten ihre Häuser unten an der Ammer. Heute findet man dort enge Gassen; ungewöhnliche Häuser mit runden Türmen; Fachwerkhäuser und Kopfsteinpflaster; gemütliche kleine Viertel; Brücken; kleine, schiefe Häuschen; spitze Dächer; grüne Fensterläden.

Viele berühmte Dichter und Denker studierten an der Universität Tübingen. Stolz erzählen die Tübinger noch heute von der Zeit im späten 18. Jahrhundert, als Hegel, Hölderlin und Schelling im selben Zimmer wohnten und studierten. Um 1845 war die Altstadt für die Universität zu klein geworden. Das neue Universitätszentrum wurde am Stadtrand gebaut. Und so ging es seitdem weiter: Die Universität wuchs – und die Stadt wuchs auch.

Dr. Wilfried Setzler

Sehen Sie, wir haben 80 000 Einwohner, und an der Universität studieren 25 000 – über 25 000 – Studenten; 15 000 etwa leben in der Stadt, und 10 000 pendeln jeden Tag ein und fahren abends wieder nach Hause.

Das hatte natürlich Konsequenzen für die Infrastruktur der Stadt. Auch das gehört heute zu Tübingen: Hochhäuser und moderne Wohnsiedlungen, Neubaugebiete, und natürlich viele Autos, Verkehr, Ampeln, breite Straßen, große Parkplätze.

Aber Tübingen ist vor allem eine „kleine Großstadt" – eine ruhige, idyllische Stadt mit Kirchen, gemütlichen Ecken und stillen Plätzchen.

Dr. Wilfried Setzler

Es gibt ein sehr schönes Bonmot: „Tübingen hat keine Universität, sondern Tübingen *ist* eine Universität", und das charakterisiert sehr gut die Geschichte, die Wirtschaftsgeschichte, die Situation der Stadt Tübingen insgesamt.

Teil 2   04:33–09:05

Johanna Schmidt, Fremdenführerin, Leipzig

Mein Name ist Johanna Schmidt. Ich bin Leipzigerin. Ich lebe seit 69 Jahren in Leipzig. Heute bin ich Gästebetreuerin, und ich freue mich, daß ich vielen Menschen meine sehr schöne Stadt zeigen kann, die ich sehr liebe. Leipzig ist 830 Jahre alt, und sie konnte sich so schnell entwickeln, denn hier, wo Leipzig heute sich befindet, da war der Kreuzungspunkt von zwei wichtigen alten Handelsstraßen. Das war einmal die Königsstraße, die *Via Regia*. Diese führte von Spanien über Frankreich, Deutschland und Polen bis nach Rußland. Und zum anderen war es die Reichsstraße, die *Via Imperii*. Und diese Verbindung von Skandinavien nach Italien kreuzte ... diese beiden Straßen kreuzten sich hier ungefähr, wo heute unser Marktplatz ist. Und auf diesen Straßen zogen die Handelsleute, die Kaufleute entlang. Und Leipzig war von einer kleinen Marktsiedlung bald eine bekannte Messestadt geworden.

Heute hat Leipzig zirka 500 000 Einwohner. Und Leipzig hat etwas ganz besonderes: Die Altstadt sieht heute noch so aus wie vor vielen hundert Jahren.

Johanna Schmidt

Leipzig ist eine bedeutende Musikstadt, und hier möchte ich erst einmal erwähnen die Tradition unserer Oper, dreihundert Jahre alt. Die Tradition des Gewandhauses, zweihundertfünfzig Jahre alt. Hier in Leipzig gründete 1843 Felix Mendelssohn-Bartholdy die Musikhochschule, die heute noch seinen Namen trägt.

In Leipzig wohnten viele berühmte Menschen: Johann Sebastian Bach zum Beispiel war Leiter und Lehrer der Thomasschule und 27 Jahre lang Kantor des Thomanerchors. Der Thomanerchor ist auch heute noch weltberühmt.

Dann wohnte auch der Dichter Johann Wolfgang Goethe in Leipzig. Er studierte an der Universität, aber er studierte auch das Leben, besonders in den zahlreichen Gasthäusern und Lokalen.

Johanna Schmidt

Eine besondere Bedeutung hatte Leipzig in der Zeit der Wende, und weltweit wurde ja Leipzig die „Heldenstadt" genannt. Darauf kann man zum Teil stolz sein. Vor allem sind wir darauf stolz, daß hier immer alles unter dem Motto stand „Ohne Gewalt!".

Und warum ist es soweit gekommen? Es gab eine große Unzufriedenheit. Die Menschen hatten das Gefühl, eingesperrt zu sein. Diese Unzufriedenheit war schon seit 1988 zu spüren. Dann kamen die Friedensgebete in der Nikolaikirche. Und danach versammelten sich Tausende von Menschen auf dem damaligen Karl-Marx-Platz. Viele hatten Kerzen dabei. Und es war eine friedliche Atmosphäre – eine friedliche Revolution, eine Wende.

Ruth Stabenow

Und so war es ja auch. Es ist eine Revolution, die vollkommen ohne Blutvergießen gekommen ist.

Teil 3   09:07–13:58

Dr. Wilfried Setzler

Ich wohne seit fünf Jahren in einem Einfamilienhaus mit einem großen Garten ringsherum, etwa zwölf Ar; das Haus besteht aus sieben Zimmern. Meine Frau hat ein Arbeitszimmer, ich hab' ein Arbeitszimmer. Wir haben drei Kinder, jedes der Kinder hat ein eigenes Zimmer, und dann haben wir noch ein sehr großes Wohnzimmer, und das größte Wohnzimmer, sagen wir, das ist unser Garten.

Tanja Lindl, Studentin, Tübingen

Ich wohne inzwischen, ähm, direkt in der Innenstadt – also in der sehr schönen Altstadt von Tübingen – ähm, in einer WG, also in einer Wohngemeinschaft zusammen mit sechs Frauen und am Anfang dacht' ich mir, ja, das kann ja so eine Sache werden, mit sechs Frauen zusammen, da steht das Telefon wahrscheinlich nie still, und im Bad gibt's wahrscheinlich auch die ganze Zeit Probleme, aber es ist sehr, sehr lustig. Und man bekommt so 'n richtig tolles Tübingengefühl, einfach wenn man in der Innenstadt wohnt. Also, man tritt raus auf die Straße und ist also gleich im Leben.

Sibylle Metzger, Studentin, Tübingen

Und ich wohne mit einer anderen, mit einer Freundin zusammen, und wir haben drei Zimmer für uns zwei, und eine Küche und einen großen Balkon, auf dem man im Sommer wunderbar, ähm, Parties feiern kann, auch studieren kann, ähm, Sterne anschauen kann, und man sieht die Schwäbische Alb, was sehr schön ist, also.

Günter Leypoldt, Student, Tübingen

Ich wohne in Tübingen. Und zwar ungefähr zwanzig Minuten von der Stadtmitte entfernt. Es ist ganz praktisch, weil die Kneipen genauso leicht zu erreichen sind wie die Uni, ohne daß ich 'n Auto oder 'n Fahrrad bräuchte.

Gesine Jüttner, Geschäftsführerin, Reisebüro, Leipzig

Seit einem Jahr wohne ich in einem eigenen Haus gemeinsam mit meinen Eltern. Ich bin eine alleinerziehende Mutter von einem dreizehnjährigen Sohn, und aus Kostengründen ist es einfach attraktiver, dann mit den Eltern gemeinsam ein Haus zu bewohnen. Ich persönlich habe in dem Haus zirka siebzig Quadratmeter Wohnfläche. Das reicht mir völlig aus. Ich bin sowieso die meiste Zeit nicht in Leipzig, fühle mich aber, wenn ich zurückkehre von einer Reise, doch hier sehr, sehr wohl. Ich bin hier geboren, ich bin hier aufgewachsen, ich arbeite jetzt in dem Gebiet, wo ich großgeworden bin – hab' sozusagen „Heimspielvorteil"!

Ruth Stabenow, Rentnerin, Leipzig

Ich habe, ich wohne in einem größeren Mietshaus in Markkleeberg. Das ist ein Ort um Leipzig herum, im Landkreis von Leipzig. Und es ist ein sehr schönes Wohnen dort. Es ist natürlich Plattenbau, wie er damals gebaut wurde, zu Zeiten der DDR. Aber, äh, für mein, äh, für meinen Bedarf ist es schön, ausreichend. Ich habe es mir schön gestaltet, habe natürlich und kann natürlich noch nicht von … naja, wie soll ich sagen, von Komfort und von Luxus sprechen. Das ist in diesen kleinen Wohnungen nicht möglich.

Daniela Krafak, Reisebüroangestellte, Leipzig

Ich hab' bis vor kurzem in einer Wohnung alleine gelebt. Die war relativ einfach, aber die Miete war auch sehr billig. Die hatte noch die Toilette auf der Treppe draußen und kein Badezimmer und, naja, war sehr einfach. Die Fenster waren kaputt. Dafür war die Miete ursprünglich mal zwanzig Mark etwa, und nach der Wende waren es jetzt etwa zweihundert. Das ist wahnsinnig billig. Und mein Freund hat in der Nähe gewohnt, auch in 'ner eigenen Wohnung, und jetzt haben wir uns entschlossen, zusammenzuziehen, und sind im September zusammen in eine Wohnung hier in Leipzig gezogen. Die ist sehr groß und schön.

Angelika Frenzel, Augenoptikerin, Leipzig

Ja, also, äh, unsere Wohnung ist erstmal 106 Quadratmeter, also relativ groß so eigentlich. Es gibt also viele Neubauwohnungen, die eben sehr, sehr klein sind, sind's und die in DDR-Zeiten auch sehr klein gebaut. Und wir sind eigentlich auch ganz stolz, daß wir in 'ner Altbauwohnung wohnen und äh, wir sind auch sehr glücklich, daß wir jetzt renoviert wurden, also, 'ne Heizung bekamen; bis vor 'nem halb' Jahr hatten wir überall Kachelöfen; selbst im Bad ein Badeofen, den wir jeden Tag heizen durften und, äh, Fenster sind neu 'reingekommen. Unser Haus ist privat, der Hausbesitzer wohnt unter uns und, äh, er ist aber sehr verträglich, so, was auch die Miete und so bisher anbelangt, also, sind im großen und ganzen sehr dankbar, daß wir hier wohnen können.

Renate Baumeister, Lehrerin, Tübingen

Wir wohnen in einem Dreifamilienhaus, äh, ja da leben wir im untersten Stockwerk und in der Mitte wohnt eine alleinerziehende Mutter mit zwei Kindern und ganz oben unterm Dach wohnt 'n Paar ohne Kinder. Das Haus ist von einem, einem Mann hier aus dem Ort; und der hat das gebaut und, äh, vermietet es.

Thema 2 Menschenbilder 14:00–28:28

Teil I   14:00–18:54

Dr. Wilfried Setzler, Kulturamtsleiter, Tübingen

Ja, die Stadt Tübingen ist oder hat, wenn man so will, nur noch ganz wenige „Ureinwohner". Aber im Prinzip ist das eine moderne europäische Stadt, multikulturell, da gibt es viele Nationen, äh, hier kann man das, wenn man durch die Straßen geht, sehen beim Einkaufen, die Geschäfte, vor allen Dingen die Gaststätten, hier gibt's Italiener, hier gibt's Griechen, hier gibt's Türken, das ist vor allen Dingen nach dem zweiten Weltkrieg so entstanden. Tübingen hat ein sehr gutes Klima für Fremde.

Hans-Peter Baumeister, Geschäftsführer, Forschungsinstitut, Tübingen

Ich komme aus Norddeutschland, ich bin in Salzgitter geboren, das ist in der Nähe von Braunschweig, das ist eine künstliche Industriestadt, die vor zirka 60 Jahren gegründet worden ist.

Walter Utz, Rentner, Tübingen

Ich bin Tübinger. Hier in Tübingen geboren, aufgewachsen und dabei altgeworden.

Renate Baumeister, Lehrerin, Tübingen

Ich komme aus Süddeutschland, und zwar bin ich in einem kleinen Dorf großgeworden in der Nähe aus, von Stuttgart.

Peter Bosch, Landwirt, Tübingen

Nach meiner Herkunft gefragt, bin ich eigentlich ein geborener Schwabe.

Alice Kurz, Studentin, Tübingen

Ich komme aus dem Nordschwarzwald, aus einer kleinen Stadt, die heißt Calw.

Tanja Lindl, Studentin, Tübingen

Ich komme aus Heilbronn. Also, das ist ganz in der Nähe von hier, eigentlich; hundert Kilometer weg.

Wolfgang Fritz, Glaser, Tübingen

Ich bin geboren in, und in Drejesingen bei Tübingen, und aufgewachsen dann in Hagelloch, also auch wieder bei Tübingen und, ja, aus Tübingen, aus'm Schwabeländle.

Sultan Braun, Lehrerin, Tübingen

Hier die Gegend heißt, äh, die Südstadt. Das ist ein Stadtteil von Tübingen. Und früher haben hier, äh, Franzosen gelebt. Die sind ungefähr vor drei Jahren, äh, von hier weggezogen. Danach hat die Stadt, ähm, die meisten Wohnungen als Sozialwohnungen eingerichtet – also für Leute, die einfach wenig Geld haben – und, ähm, in dem Haus, ähm, wohne ich. Das ist ein Projekt. Und zwar sind ungefähr vor drei Jahren dreißig Leute zusammengekommen und haben diesen Block von der Stadt, äh, für 99 Jahre gepachtet. Wir haben dann Kredite übernommen und alles selbst renoviert. Also, man könnte sagen, wir sind Eigentümer.

Jeder von uns mußte Eigenleistungen bringen, äh, pro Woche acht Stunden waren das, und zum Teil, äh, haben wir auch Fachleute einstellen müssen – also, für die Arbeit, die wir selbst nicht konnten; und wir sind praktisch seit zwei Jahren am

Renovieren. Und ab 1.1., äh, haben die ersten angefangen einzuziehen. Bis dahin wollten wir eigentlich fertig sein, aber wie Sie sehen, äh, ist noch … es gibt noch viel Arbeit.

Ähm, ich bin heute mit meinen zwei Kindern und meinem Freund, äh, hier eingezogen. Das hier wird unser Wohnzimmer, und hier wird unser' Küche, und dann haben wir noch dort weitere drei Räume. Das erste Zimmer ist für meinen älteren Sohn. Und das zweite Zimmer wird für meinen jüngeren, und das dritte Zimmer ist für mich und für meinen Freund.

Ich komme aus der Türkei; ich bin teils in der Türkei, teils hier aufgewachsen. Also, ich habe mein Leben hier organisiert, würde ich sagen. Ähm, natürlich habe ich Sehnsüchte. Meine Familie lebt in der Türkei. Aber wenn ich im Urlaub dort bin, dann habe ich wieder auch Sehnsucht hierher.

Dr. Wilfried Setzler

Das echte Tübingen, das besteht in der Vielfalt. Es ist kein monolo…, monolithischer Block, es ist nichts, was man mit einem Wort oder mit einem Satz beschreiben könnte, sondern Tübingen, das ist die Vielfalt.

Teil 2   18:56–23:42

Gesine Jüttner, Geschäftsführerin, Leipzig

Also, ich selber würde mich erstmal als die Leipzigerin schlechthin bezeichnen. Ich bin eine ganz typische Leipzigerin mit diesem Dialekt, mit der typischen Eigenart, aufgeschlossen zu sein für alles Fremde.

„Reisen räumt mit allen unseren Vorurteilen auf, und es bildet uns." Das ist also ein ganz wichtiger Spruch und den ich eigentlich gerne hinaustragen möchte an meine Kunden. Reist, reist, um Vorurteile abzubauen, um aufgeschlossen zu sein für das Fremde! Und ich glaube, das ist was ganz Typisches, was uns Leipzigern hier anhaftet.

Wir haben schließlich die älteste Messe Deutschlands hier in Leipzig. Leipzig ist berühmt in der ganzen Welt als die Stadt des Buches, des Sports, der Wissenschaft. Wir haben die zweitälteste Universität in Deutschland hier in Leipzig. Ja, das hat ja alles Spuren hinterlassen, und das hat natürlich die Leute geprägt, ne. Man hat ja auch sehr viel getan für Kultur. Wir haben schöne Museen. Und das prägt einen Menschenschlag. Und so würde ich mich sehen, als die Leipzigerin. Ich bin also 'n ausgesprochener Lokalpatriot!

Georg Rübling, Taxifahrer, Leipzig

Meine Heimat ist seit 25 Jahren Leipzig, weil ich hier meine Arbeit hatte, weil ich meine Freunde hier habe, einige Verwandte, und weil ich ja auch fast den größten Teil meines Lebens schon hier verbracht habe und den Rest meines Lebens hier verbringen werde.

Also, ich habe vorher in Grünau gewohnt, die Wohnung existiert dort noch, ungefähr 10 Minuten von hier entfernt liegt die Wohnung, eine Plattenbauwohnung, wie wir in der ehemaligen DDR gesagt haben, und dieses Grundstück, das besaßen wir schon früher. Und wir entschlossen uns, meine Frau und ich, hier ein Haus zu bauen, weil wir den ganzen Sommer über ohnehin auf diesem Grundstück gewohnt haben. Wir beabsichtigen, bis Weihnachten einzuziehen und im nächsten Jahr dann das Haus verputzen zu lassen, wenn das Wetter wieder wärmer ist.

16 Prozent der Leipziger sind über 60 Jahre alt. Über tausend von ihnen sind Mitglieder des Seniorenkollegs, das heißt, sie besuchen Kurse für ältere Menschen an der Leipziger Universität.

Professor Wolfgang Rotzsch, Leiter, Seniorenkolleg, Leipzig

Das ist ja nun eine schwierige Frage. Wir haben jetzt nach der Wende 1989 die Möglichkeit, wieder zu reisen. Und wir erschließen das Land, was wir als Bundesrepublik Deutschland überhaupt nicht besuchen durften. Und ich freue mich sehr, daß ich nun jetzt erst viele westdeutsche Städte kennenlernen darf, und dort fühl' ich mich also auch sehr, sehr wohl, und sehe den Status dieser Städte im Verhältnis zu dem Verfall unserer Städte, die nach diesem Krieg enorm gelitten haben, und die nicht gepflegt wurden. Also, ich fühle mich schon in Deutschland zu Hause, obwohl ein großer Schatten der Schuld immer auf mir lag. Obwohl ich gar nicht feststellen könnte, ich war nicht im Krieg, ich war fünfzehn Jahre, als dieser Krieg zu Ende ging, aber den großen Schatten einer Schuld spüre ich als Deutscher eigentlich überall. Und deswegen freue ich mich so sehr, daß wir durch diese Verbindung mit Frankreich oder auch jetzt mit Großbritannien die Brücken schlagen können, um in Europa zu Hause zu sein.

Teil 3 23:44–28:28

Rudolf Kost, Rentner, Tübingen

Ja, ich bin, äh, hier, natürlich hier geboren, und meine Familie ist seit vielen Jahrhunderten hier ansässig. Und für mich ist Tübingen, wenn das Wort „Stadt" fällt, eben der Inhalt des Wortes „Stadt". Und wenn das Wort „Heimat" fällt, dann ist eben Tübingen „Heimat".

Rudolf Dobler, Rentner, Tübingen

Mein Großvater stammt aus der Stuttgarter Gegend, Ludwigsburg, also ein Schwabe aus dem schwäbischen Unterland, net. Aber, wie gesagt, mein Vater ist dann hier geboren, und seit zwei Generationen sind wir hier fest ansässig. Und wir fühlen uns also als Tübinger, und uns gefällt es sehr gut in Tübingen.

Dr. Wilfried Setzler

Das ist an sich ganz einfach. Zunächst einmal ist meine Heimat da, wo ich bin, und da ich die meiste Zeit hier in Tübingen bin, würde ich sagen, Tübingen ist meine Heimat. Hier habe ich meine Freunde, hier kenne ich mich aus, hier fühle ich mich wohl. Aber darüber hinaus käme vielleicht Württemberg, Schwaben und dann Europa, wenn ich das so etwas vereinfacht darstellen kann.

Tanja Lindl

Jetzt momentan schon in Tübingen, fühle ich mich schon am meisten zu Hause. Aber ich fühl' mich auch in England zu Hause oder, also gerade da, wo ich eigentlich bin, fühle ich mich eigentlich zu Hause, muß ich sagen.

Ruth Stabenow, Rentnerin, Leipzig

Ich komme auch aus dem Sachsenland, aber nicht von Leipzig, sondern von Glauchau, und Glauchau ist in dem Kreis Chemnitz. Aber bereits vor fünfzig Jahren bin ich hierher in die Industrie, in die Umgebung von Leipzig gekommen, und fühle mich in diesen fünfzig Jahren nun doch mehr als Leipzigerin als die gebürtige Glauchauerin. Und mein Hiersein in Leipzig ist … ich bin da so verbunden, daß ich nicht mal bis heute den[3] Wunsch meiner Kinder, die in Berlin leben, nachgekommen bin und dorthin mich versetzt habe.

Thomas Walter, Bauingenieur, Leipzig

Also, ich lebe gern in Leipzig, ich lebe gern in diesem kleinen Dorf, in Beucha. Dort ist meine Heimat. Dort ist meine, äh, Familie. Ich könnte mir jederzeit vorstellen, auch in einem anderen Land heimisch zu werden; also, ich bin nicht an dieses, äh, an diesen Begriff „Deutschland" oder äh, „deutsche Heimat" gebunden, also sowas, so eng möchte ich das nicht, äh, fixieren, also; was mir wichtig ist, was mir, äh, viel bedeutet, ist meine Familie, und auch dieses Dorf, in dem ich wohne, da bin ich eigentlich ganz gern zu Haus.

Dorothea Vogel, Geigerin, Leipzig

Ja also, zu den Wurzeln: Meine Mutter stammt aus Thüringen und mein Vater stammt aus dem Sudetenland, und sind beide halt durch den Beruf nach Rostock gekommen. Äh, mit der Zugehörigkeit ist es schwierig; also, sicherlich, ich bin in der inzwischen nicht mehr existierenden DDR aufgewachsen und ich glaube natürlich, daß mich dieser Staat auch geprägt hat, das heißt, ähm, daß, daß man natürlich 'ne ganz bestimmte, ja, Art angenommen hat, das ist wahrscheinlich das falsche Wort, aber daß man schon geprägt wurde, wie man hier aufwuchs. Und es ist wahrscheinlich das, wenn man mich fragen würde, was eigentlich am ehesten zuträfe, dann zu sagen, ich bin Ostdeutsche.

Hans-Peter Baumeister

Meine Heimat ist Tübingen, weil Heimat sich aus vielen Dingen bestimmt; da ist meine Familie, mit der ich zusammen hier wohne, hier habe ich meine Freunde, hier haben wir unsere sozialen Kontakte insgesamt, hier hab' ich meine Arbeitsstelle und all diese verschiedenen Dinge machen etwas von Heimat aus. Ich könnte jetzt nicht sagen, Heimat ist genau das oder das, sondern für mich setzt sich Heimat aus vielen unterschiedlichen Dingen zusammen.

---

[3]Frau Stabenow says *den Wunsch* and not *dem Wunsch*. This may be because when she began the sentence, she had not decided what verb to use at the end of the sentence. The verb she eventually used required the dative, *dem Wunsch*, rather than the accusative, *den Wunsch*.

Acknowledgements

The authors and publishers would like to thank the following people for their permission to use copyright material:

Hörbericht Nummer 2: 'Ein Mädchen voller Güte' (altes Küchenlied) published by Europa 1301, Müller International Schallplatten; *Hörbericht Nummer 2*: 'Heimat leb' wohl' (traditional) sung by Jettenburg Männergesangverein, conductor/arranger Eberhard von Pappen; *Thema 1, Hörabschnitt 17*: 'Neues Heim für Obdachlose ist mehr als ein Nachtquartier' by Angelika Raulien from Leipziger Volkszeitung 23/12/94; *Thema 2, Hörabschnitt 5*: 'Zwei Waisenkinder aus Kambodscha in Deutschland …' from 'Die Wahlverwandschaft' by Ariane Barth, *Spiegel 9*, 27/2/95; *Thema 2, Hörabschnitt 13*: 'Deutschland ist …' from *Tatsachen über Deutschland*: Societäts-Verlag, Frankfurt.

Every effort has been made to trace and acknowledge ownership of copyright. The publishers will be glad to make suitable arrangements with copyright holders whom it has not been possible to contact.